CW00394629

elle
toujours
a b c
2+2=4
des déguisements

La maîtresse habite dans l'école (avec la directrice).

Le matin,
la maîtresse est
toujours la première
dans la classe.

123
456
789
DIMANCHE

La maîtresse,
elle sait tout.
Même ce qui se
passe dans son dos.

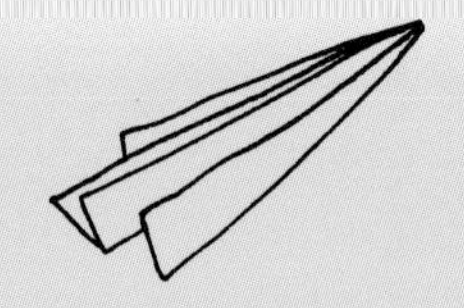

La maîtresse écrit
tout en rouge,
c'est sa couleur
préférée.

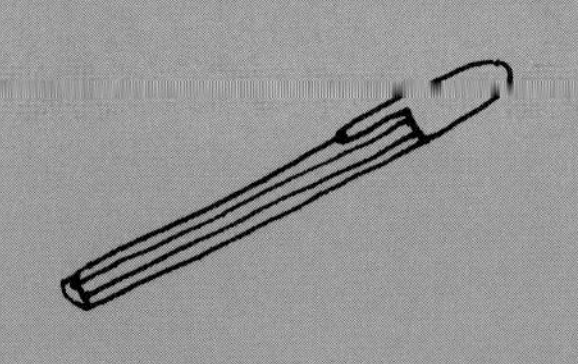

À la récré,
elle préfère jouer
avec les petits
plutôt que parler
avec les grands.

TERRE
1
2
3
4
5

La maîtresse
est toujours
très concentrée
pendant les sorties.

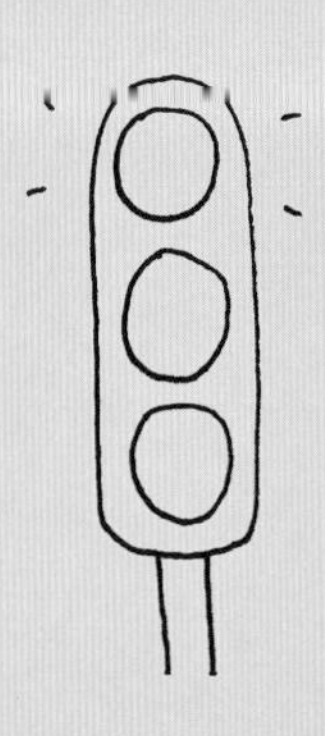

La maîtresse aime tous les légumes de la cantine.

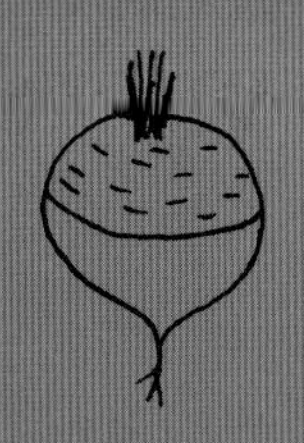

Elle aime aussi faire plein de choses que les mamans ne font jamais.

Mardi 1er Février
Thème : Les indiens

La maîtresse a toujours de super bonnes idées pour la fête des mères.

LESSIVE

En plus,
elle connaît des
trucs incroyables
comme la
patatogravure.

Aujourd'hui : la patatogravure.

Pendant les grandes vacances,
la maîtresse reste dans la classe pour nourrir le lapin et arroser le haricot.

CRÈME
SOLAIRE

colle ici
ta
photo

colle ici
ta
photo

Les questions
compliquées
ne font jamais
soupirer
la maîtresse.

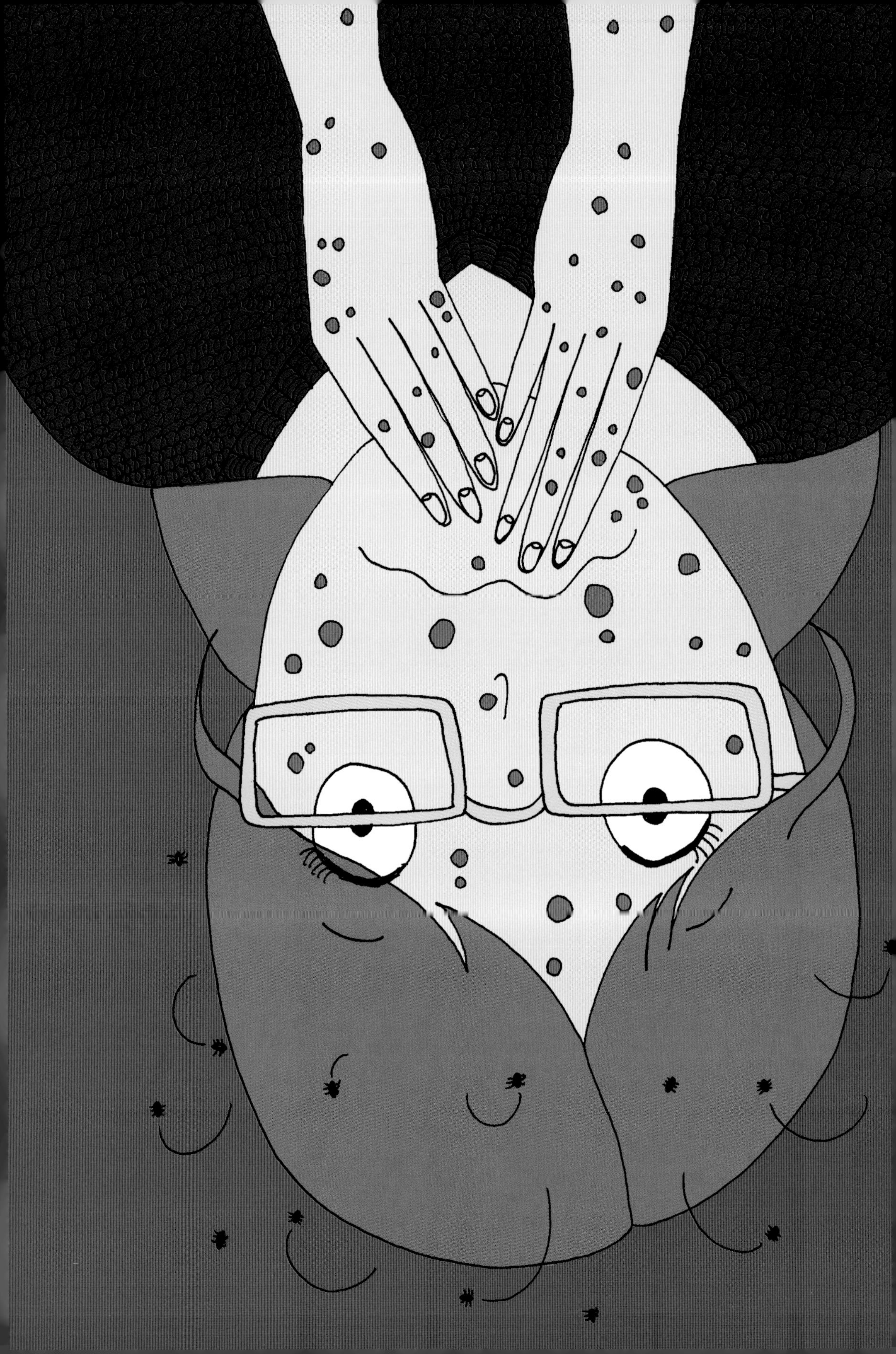

Elle ne peut pas attraper des poux, ni la varicelle.

La maîtresse n'a jamais envie de faire pipi.

Son téléphone
portable
ne sonne jamais.

ujourd'hui
LUNDI
29
NVIER
LUNDI
MARDI
MERCREDI

La maîtresse n'a pas de chouchou.

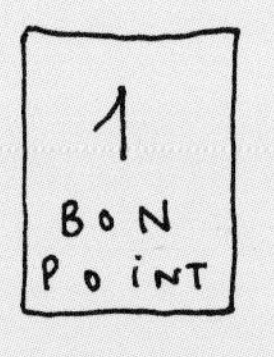

1
2
3
4

Elle n'oblige pas
ceux qui ont oublié
leur maillot de bain,
à nager.

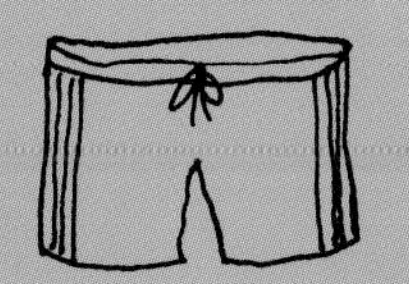

La maîtresse ne
perd jamais
son calme.

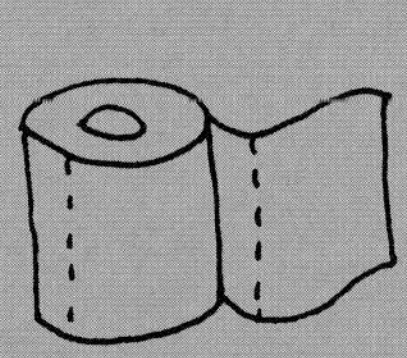

Elle n'envoie pas
les pitres
réfléchir sur
la petite
chaise bleue.

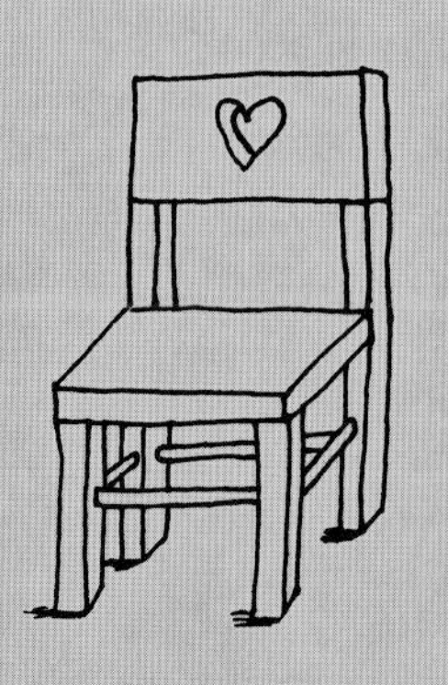

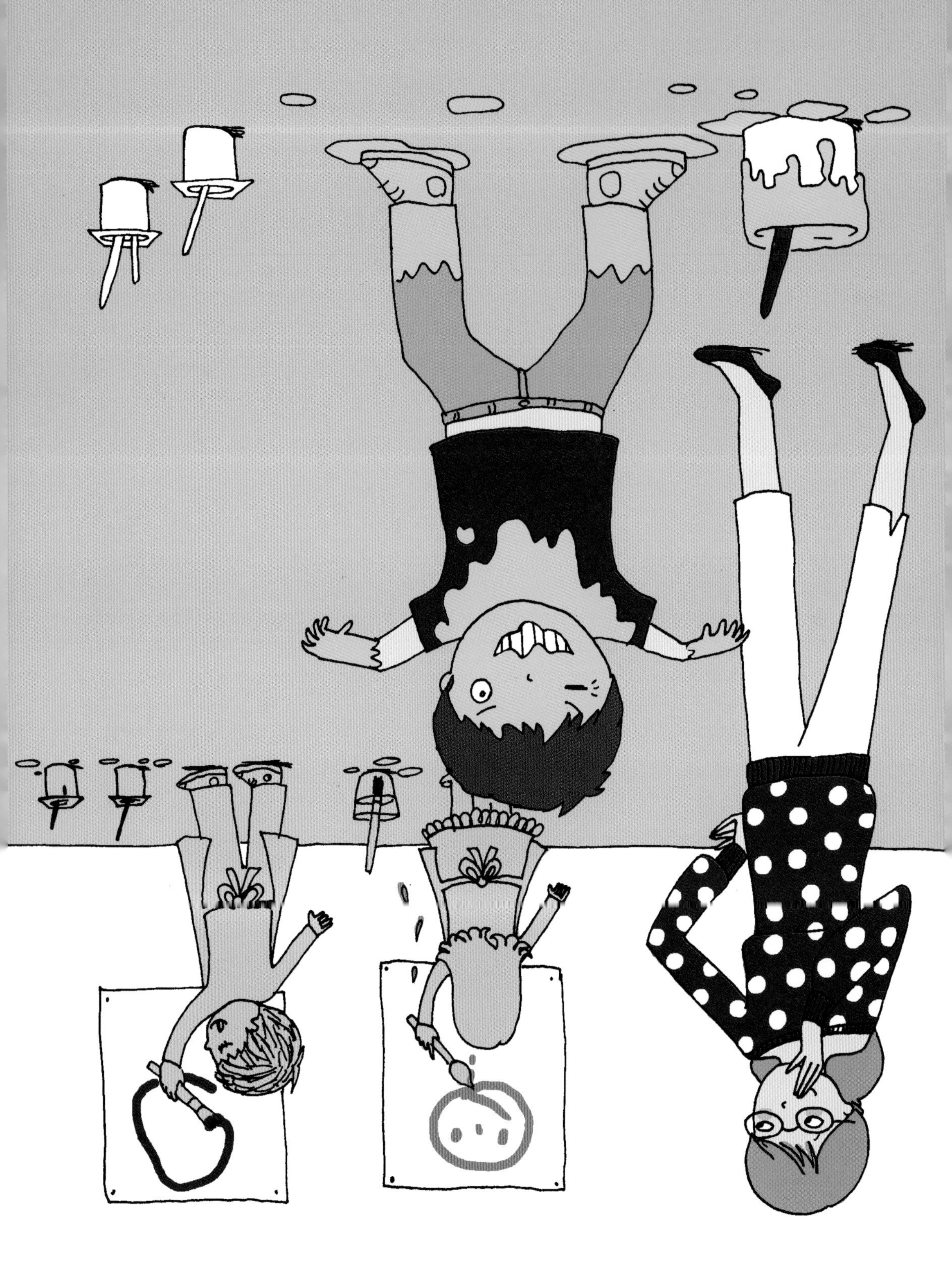

Les bêtises
ne font pas rire
la maîtresse.

La maîtresse n'est jamais fatiguée.

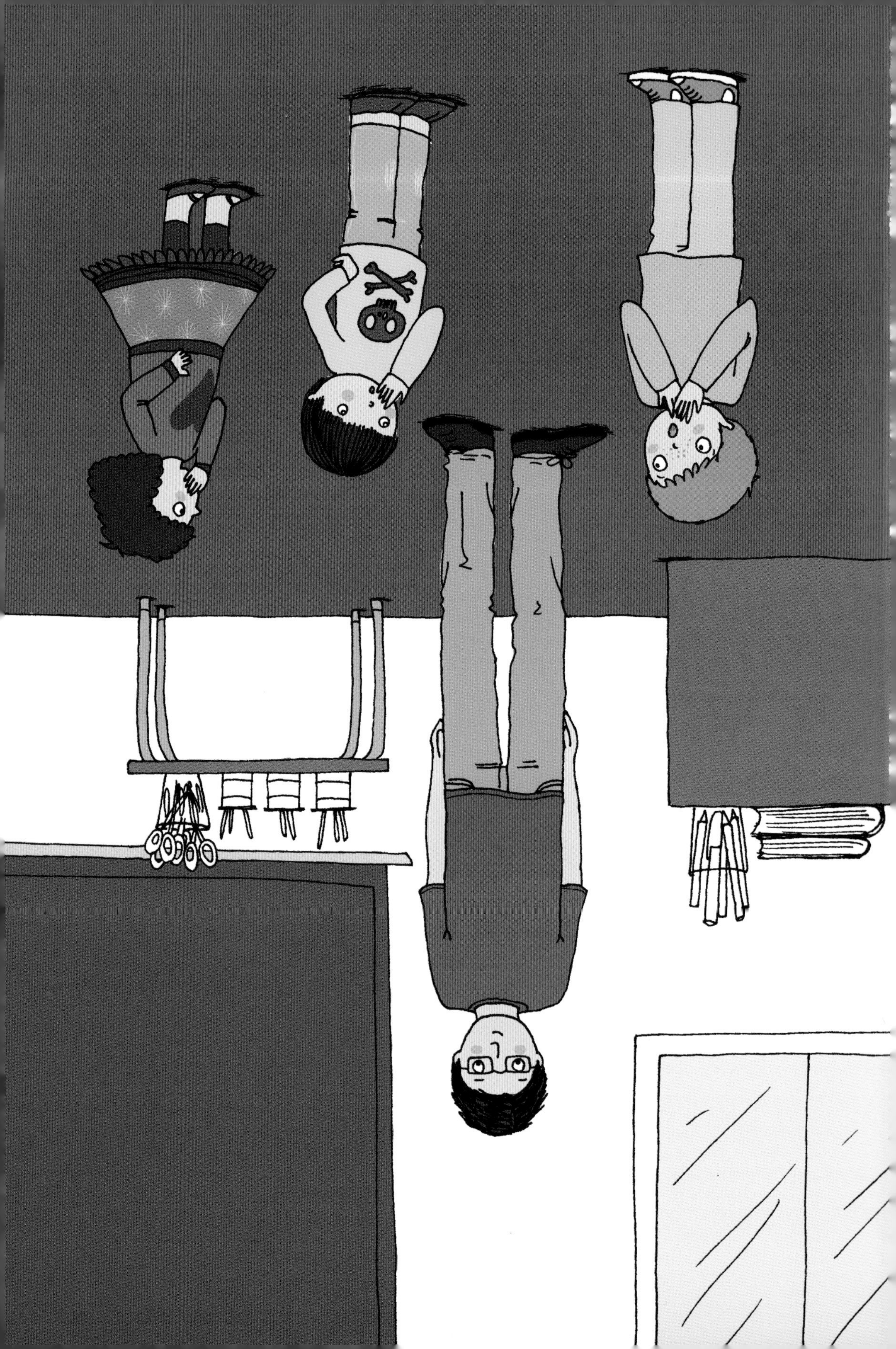

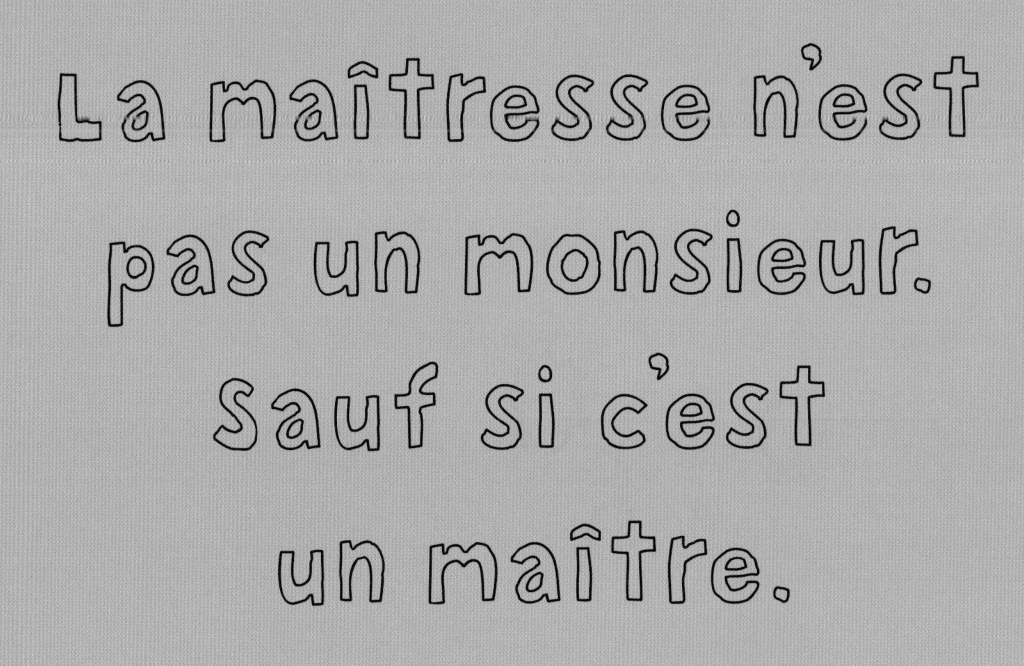
La maîtresse n'est
pas un monsieur.
Sauf si c'est
un maître.

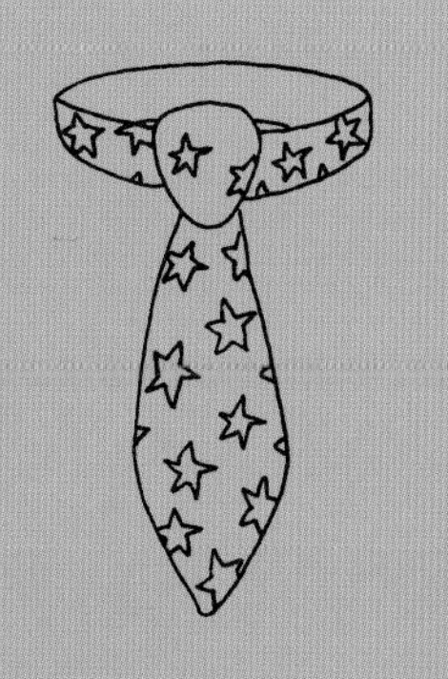

2+2=4
a+b
B
A
56
x23
r
O